D1231809

Pour Kate

Pour l'édition originale publiée par Macmillan
Children's Books, London, sous le titre *Strange and
Familiar, Proverbs from Far and Wide*

Pour le texte © Macmillan Children's Books, 1997
Pour les illustrations © Axel Scheffler, 1997

Pour l'édition française
© Éditions du Seuil, 1997
Dépôt légal : octobre 1997
ISBN : 2-02-032015-0
N° : 32015-1
Loi 49-956 du 16 juillet 1949 sur
les publications destinées à la jeunesse
Traduction de Yves Henriet

Imprimé en Italie

Axel Scheffler

Proverbes
du
monde
entier

Seuil Jeunesse

SOMMAIRE

INTRODUCTION

En Angleterre, mieux vaut laisser dormir les chiens. En Hongrie, le sage ne prend pas une chèvre pour jardinier. Et en Chine, mieux vaut éviter de lacer ses chaussures dans un champ de melons.

Chaque pays a ses proverbes, reflétant la sagesse, l'humour et l'expérience de ses habitants. Très souvent, c'est la même idée que l'on retrouve exprimée par des cultures très différentes.

En Amérique du Nord, c'est le cochon qui, s'il ne fait pas de bruit, pourra manger tout son saoul, tandis qu'en Tanzanie, c'est le scarabée.

Certains proverbes peuvent susciter de multiples interprétations et pourraient appartenir à plusieurs thèmes proposés dans cet ouvrage. Par exemple, les chinois disent :

« Pour connaître le chemin, interroge celui qui en vient ». Est-ce du bon sens ou de l'expérience ? De même « La casserole que l'on surveille ne déborde jamais » : patience ou sagesse ? Il est parfois difficile de connaître avec précision la provenance d'un proverbe. Dans la mesure du possible, nous avons essayé d'indiquer le pays ou la culture dont ils sont issus. Mais certains courent le monde depuis si longtemps qu'il est impossible de savoir d'où ils viennent. C'est pourquoi l'origine n'est pas toujours mentionnée.

Bien sûr, ce recueil ne prétend pas être exhaustif, mais nous espérons que cette petite introduction à la sagesse du monde saura enrichir et amuser petits et grands.

L'ÉDITEUR

CHANCE

Si en te baignant tu as
échappé au crocodile, prends
garde au léopard sur la berge.

Afrique de l'Ouest

Gare en fuyant
le scorpion à
éviter la
morsure
du cobra.
Proverbe
sanskrit

Jette une poignée
de pierres,
une au
moins
atteindra
son but.
Inde

Alors que tu chasses un tigre par la porte de devant, un loup peut entrer par celle de derrière.

Chine

Quand les roubles
tombent du ciel,

quand il a un sac,
les roubles ne
tombent pas.

Russie

le malchanceux
n'a pas de sac ;

Jette le chanceux dans la rivière, il en ressortira
avec un poisson dans la bouche. *Proverbe arabe*

Reste à côté de l'arbre et prends
les fruits qui tombent. *Hollande*

Les autres animaux ont mangé son repas ;
mais que peut faire la tortue, si lente ? *Zambie*

La pluie tombe
toujours plus
fort sur
un toit
percé.
Japon

Si je vends du sel, il pleut ;
si je vends de la farine,
il vente.

Japon

SAGESSE

Ne fais pas d'une chèvre
ton jardinier. *Hongrie*

Fou celui qui veut
éclairer le soleil,
fou celui qui veut
amuser son âne.

Inde

Poule qui picore
ne caquette pas.

Le sage sait éviter le taureau en colère.

Proverbe yoruba (Guinée)

Sage est l'homme
qui, ayant deux
pains, en vend
un pour acheter
un lys.
Chine

Si derrière toute barbe il y avait de la sagesse,
les chèvres seraient toutes prophètes.   *Arménie*

Le fou lave son éléphant à la cuiller.

Proverbe persan

Le vieil éléphant sait où trouver de l'eau.

Afrique du Sud

La girafe est sage :
elle voit loin et
ne fait pas
de bruit.
Tanzanie

La tortue est la plus sage car elle transporte
sa maison.　*Proverbe bambara (Mali et Sénégal)*

Le sage s'assied sur le trou
du tapis.
*Proverbe
persan*

Mieux vaut s'asseoir
avec le hibou que
voler avec
le faucon.
Allemagne

L'OCCASION...

Rentre ton foin
tant que le soleil
brille.

Espagne

Si on te dit que l'arbre est plein de fruits,
contente-toi d'un petit panier.   *Grèce*

À trop parler, on en oublie de manger.
Amérique du Nord

S'il sait se faire oublier, le scarabée
pourra manger.
Tanzanie

Chat qui dort ne chasse pas.

Inde

Quand le lièvre dort,
            la tortue gagne la course.

Le ver est pour
l'oiseau matinal.

Le renard qui
attend que la poule
tombe reste affamé.

Grèce

JALOUSIE

Tous admirent le paon.
Alors les oiseaux disent :
« Mais regardez ses
pattes, et écoutez sa
voix ! »

Japon

« Ce pot fêlé a l'air mieux que le mien. »
Espagne

Un potier en envie toujours un autre.

La récolte du voisin est toujours
plus abondante. *Proverbe latin*

Les pommes du voisin sont les meilleures.
Proverbe yiddish

Qui nourrit les autres chiens
mécontente les siens.

Italie

L'herbe est toujours plus verte dans
le pré d'à côté.

La vache du voisin donne plus de lait.

France

JUSTICE

Toujours le plus
petit porte le plus
gros violon.

Angleterre

S'il a de longues cornes,
on se méfiera même
du plus doux
des bœufs.

Malaisie

Le chien vole et la chèvre est punie.

Afrique de l'Ouest

Souvent le cochon le plus laid a la meilleure part. *Italie*

Que le chat vole du riz, et c'est
le chien qui le mangera.

Chine

« Je n'ai pas mangé, pourquoi le perroquet
mangerait-il ? » dit le moineau.   *Afrique de l'Ouest*

Renard n'est pas juge à un concours d'oies.   *Angleterre*

PATIENCE

C'est en essayant encore et encore que le singe apprend à bondir.

Afrique de l'Ouest

Le poisson de la rivière
n'est pas encore
dans ton
assiette.
Chine

L'homme trop
pressé prend son
thé à la
fourchette.
Inde

La casserole qu'on surveille ne déborde jamais.

À courir deux lièvres
à la fois,
on n'en attrape aucun.

Allemagne

Vache qui court se nourrit peu.
Afrique de l'Ouest

« Va lentement, dit le caméléon,
et tu trouveras de quoi manger. »
Afrique de l'Ouest

Pressé est celui qui,
nourrissant les
poules d'une main,
cherche les œufs
de l'autre.

Arménie

Ne compte pas
les poules avant
que les œufs
aient éclos.

Qui veut des œufs supporte le caquetage
des poules.   *Grèce*

Poil par poil, toute la barbe viendra.   *Russie*

Attends d'être au gué pour relever
ton pantalon. *Turquie*

APPARENCES

Si le babouin pouvait voir
son derrière, lui aussi
rirait.   *Kenya*

Ce n'est qu'en hiver que l'on voit que pins
et cyprès sont toujours verts.

Chine

Un beau poulet ne se trouve pas partout.

Afrique de l'Ouest

Qui a un gros nez
pense que tout
le monde en parle.

Écosse

Le singe a une grande bouche car sinon, dit-il, il serait bien trop beau. *Éwé (Ghana, Togo, Bénin)*

Le putois ne sait pas qu'il pue.

Proverbe zoulou (Afrique australe)

Le prix du chapeau n'est pas en rapport avec
la cervelle qu'il coiffe.   *Amérique*

À l'orgueilleux ne
faites pas remarquer
ses boutons.

Russie

Habillez un bout de bois, et ce ne sera plus
un bout de bois. *Espagne*

Un bon commerçant a l'air engageant.

Japon

AMITIÉ

N'attends que ruades
de l'amitié d'un âne.   *Inde*

Une haie entre voisins préserve l'amitié.

France

Deux moineaux sur un épi ne font
pas bon ménage.

C'est ensemble que
les singes ramassent
les fruits.

Liberia

Dans leur petit nid, les
oiseaux approuvent.

Angleterre

Que deux hommes
se fâchent,
et leurs
chiens feront
de même.

Japon

Chiens et chats
peuvent s'embrasser ;
est-ce vraiment
de l'amitié ?

Marche sur
une fourmi,
et mille autres
t'attaqueront.
Afrique de l'Ouest

EXPÉRIENCE

Pour connaître le chemin,
interroge celui qui en vient.
Chine

Attends d'avoir traversé la rivière pour dire
au crocodile qu'il a une bosse sur le nez.

Proverbe ashanti (Ghana)

Qui a été mordu par
le serpent a peur
d'un bout de ficelle.

Proverbe persan

Qui a été mordu par un serpent évite
les hautes herbes. *Chine*

Quoi que tu saches des chevaux, ne t'assieds pas sur leur nez.

Proverbe bambara (Mali et Sénégal)

Il n'y a que celui qui la porte qui sache où la chaussure le blesse.
Angleterre

Seul celui qui a emprunté la route connaît la profondeur des trous. *Chine*

PRUDENCE

Si tu te trompes de chapeau,
assure-toi au moins qu'il te va.
Irlande

À une querelle d'hippopotames,
ne te mêle pas. *Bugunda (Ouganda)*

Regarde avant de sauter.

Angleterre

Ne réveille pas le chien
qui dort. *Angleterre*

Ne dis pas de secrets dans un champ plein
de bosses. *Proverbe hébreu*

Quand le renard prêche, garde un œil
sur tes oies.   *Allemagne*

Le caméléon ne quitte pas un arbre tant qu'il n'est pas sûr du suivant.   *Proverbe arabe*

Fais ami avec
le loup, mais garde
ta hache prête.
Russie

Il ne faut pas marcher
sur la queue du
chien qui dort.
Turquie

Crois en Dieu, mais attache ton chameau.

Proverbe persan

BON SENS

Ce n'est pas parce qu'il
y a un trou qu'il y a un
écureuil dedans.

Amérique du Nord

On ne porte pas deux pastèques dans une seule main. *Proverbe persan*

On ne creuse pas un puits avec une aiguille. *Angleterre*

On n'envoie pas une poule chercher un renard. *Irlande*

Les vaches ne grimpent
pas aux arbres.
Allemagne

Toutes les grenouilles de la terre n'empêchent
pas la vache de boire. *Proverbe kikuyu (Kenya)*

Un lion ne s'attrape pas avec une toile d'araignée.

Amérique du Nord

Qui marche dans la neige ne peut pas cacher
son passage.   *Chine*

On ne peut pas apprendre
au crabe à marcher droit.
Grèce

Sans rame, pas de traversée. *Japon*

L'homme seul ne pourra mettre le bateau
à la mer. *Proverbe swahili (Kenya et Tanzanie)*

Un chat avec des moufles n'attrape
pas de souris.   *Grèce*

On ne ferre pas un cheval qui court.   *Hollande*

N'accroche pas tout au même clou.   *Russie*

Il n'y a pas de place
pour deux pieds dans
une même chaussure.

Grèce

GRATITUDE

Ne blâme pas Dieu d'avoir créé
le tigre, mais remercie-le de ne
pas lui avoir donné d'ailes.

Inde

Loue le pont qui t'a permis de traverser.

Angleterre

À cheval donné on ne regarde
pas les dents.

L'homme ingrat est comme un baquet percé.
Proverbe latin

Gratte mon dos et
je gratterai le tien.

Proverbe latin

Ne mords pas
la main qui
te nourrit.

Ne coupe pas l'arbre qui
te donne de l'ombre.

Proverbe arabe

LOGIQUE

Qui a un pied dans la barque
et l'autre dans le canoë
tombera à l'eau.

Proverbe tuscarora
(Indiens d'Amérique du Nord)

Si ton lit bouge et fais une bosse,
c'est qu'il y a un singe dedans.

Afrique du Sud

Qui souffle sur le feu a des étincelles
dans les yeux.

Allemagne

Qui veut voler du miel doit se méfier
de l'abeille. *Chine*

Si le chameau passe la tête sous la tente,
le reste suit bientôt. *Proverbe arabe*

Quand les noix sont mûres, les cochons
sont gras. *Amérique du Nord*

Celui qui touche de la peinture noire
se salit les mains. *Chine*

Celui qui fait du feu dans sa hutte ne doit pas se plaindre de la fumée. *Afrique de l'Ouest*

À tirer en l'air, on peut avoir des surprises.

Qui dort avec un chien se réveille
avec des puces.   *Grèce*

Qu'un chien aboie et la meute le suit.
Allemagne

GÉNÉRATION

À chaque âge ses jeux.

France

Pour réussir, consulte
trois anciens.
Chine

Pour le vieil homme, chaque colline
est une montagne.   *Proverbe juif*

Suis le vieux bœuf,
il sait où il va.

Quand il tombe à l'eau, le bébé crocodile
ne pleure pas. *Afrique de l'Ouest*

Les vieilles chèvres aiment bien
les jeunes pousses. *Afrique de l'Ouest*

À loup boiteux, lapin agile. *Amérique du Nord*

Le vieux balai connaît les coins. *Irlande*

UN TIEN VAUT MIEUX…

Mieux vaut un vilain cochon
que pas de cochon du tout.

Amérique du Nord

Un moineau dans le buisson vaut mieux qu'un
aigle dans le ciel. *Proverbe blackfoot*
(Indiens d'Amérique du Nord)

Une truite dans la marmite
vaut plus que deux saumons
dans la rivière. *Irlande*

J'ai plein de pommes et de poires, mais je n'ai envie que de coings. *Arménie*

Faute de pommes, contente-toi d'une carotte.
Russie

Une plume dans la main vaut
mieux qu'un oiseau dans l'arbre.

Angleterre

Mieux vaut une poule dans son enclos
qu'une centaine en liberté.

Un tien vaut mieux que deux tu l'auras.

France

Quand ton lit est cassé, il te reste le sol
pour te coucher.   *Inde*

EN CONCLUSION

Si tu veux éviter la suspicion,
ne lace pas tes chaussures
dans un champ de melons.

Chine

L'écureuil a beau être petit, il n'est pas
l'esclave de l'éléphant.

Celui qui met sa main dans la gueule du
lion s'arrange pour l'en sortir.

Écosse

Tant que ma maison brûlera, je n'aurai
pas froid.   *Italie*

Ce n'est pas parce que
l'oiseau vole au-dessus de ta
tête qu'il doit faire son nid
dans tes cheveux.

Danemark

Celui qui n'a jamais vu de château admire
une porcherie. *Yougoslavie*

La grenouille qui voit ferrer le cheval
présente son pied.

Turquie

Dix tailleurs ne feront pas mieux qu'un.

N'offre pas une
cravate à qui a
besoin d'une
chemise.

Angleterre

Ne t'habille pas de feuilles pour aller
éteindre un feu.   *Chine*

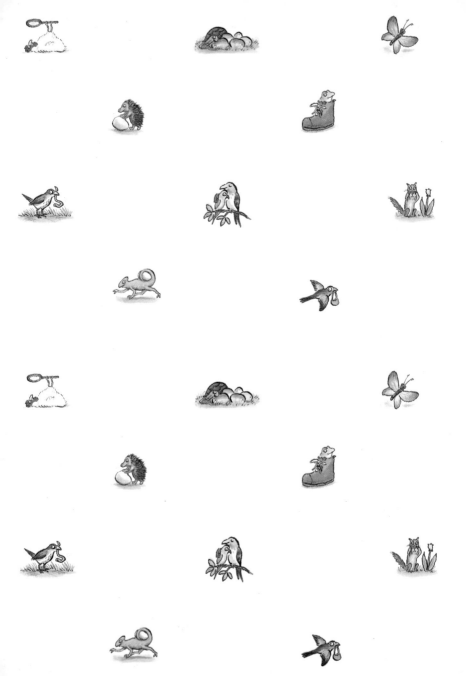